W9-ARJ-708

DON
Winx™
CLUB
La poussière de fée
BEACONSFIELD
Bibliothèque - Library
303 boul Beaconsfield,
Beaconsfield QC H9W 4A7
DISCARD
H
HACHETTE

Bloom

C'est moi, Bloom, qui te raconte les aventures des Winx. À l'université d'Alféa où je poursuis mon apprentissage de fée, j'ai découvert peu à peu ma véritable identité. Je suis la fille du roi et de la reine de la planète Domino, qui a été détruite par les ancêtres des Trix. Je n'étais alors qu'un bébé. C'est ma sœur aînée, la nymphe Daphnée, qui m'a sauvée. Elle a trouvé sur terre des parents adoptifs aimants à qui me confier. Aujourd'hui, je possède le formidable pouvoir de la flamme du dragon, convoité par les forces du mal. Alors je suis en première ligne pour défendre la dimension magique et ses différentes planètes. Heureusement que je peux compter sur mes amies fidèles et solidaires : les Winx !

La mini-fée **Lockette** est ma connexion parfaite. Chargée de me protéger, elle a une totale confiance en moi, ce qui m'aide à devenir meilleure.

Kiko est mon lapin apprivoisé. Il n'a aucun pouvoir magique et pourtant, je l'adore.

Les Trix ont été élèves à la Tour Nuage. Mais toujours à la recherche de plus de pouvoirs, elles ont fini par arrêter leurs études de sorcellerie. Elles préfèrent s'allier avec les forces du mal. Elles nous détestent, nous les Winx.

Icy, qui est à la fois l'aînée des Trix et leur chef, a pour armes préférées les cristaux de glace, le blizzard, les icebergs.

Stormy sait déclencher tornades et tempêtes.

Darcy utilise des sortilèges mentaux : elle crée des illusions de toutes sortes qui peuvent rendre fou.

Mme Griffin est la directrice de la Tour Nuage, l'école des sorcières. Mme Faragonda semble lui faire confiance. Mais je me demande si ce n'est pas une erreur…

Résumé des épisodes précédents

Pauvre Stella ! Transformée en crapaude, elle était persuadée de perdre l'amour de Brandon. Heureusement qu'il existait un remède au sortilège : le Miroir de Vérité. Nous, les Winx, sommes parties à sa recherche. Le vaisseau des Spécialistes nous a conduits au cœur de la Grande Barrière, protégée par les Griffons et les Esprits de glace.

Devant le Miroir, Stella a découvert que ses amies et son amoureux n'appréciaient pas seulement sa beauté, mais surtout sa vivacité, son humour, son courage. Et malgré sa laideur, Brandon continuait de l'aimer ! Cette révélation d'un amour sincère lui a permis de retrouver sa véritable apparence.

Chapitre 1

Une épidémie à Alféa

Pour la deuxième fois de ma vie, c'est la rentrée des classes à Alféa. Comme j'étais timide l'année dernière ! Tout m'impressionnait : les superbes bâtiments, la directrice, les garçons de la Fontaine Rouge, et même mes futures amies !

Cette année, tout me semble tellement facile... Et c'est moi qui lance des sourires d'encouragement aux petites nouvelles. Ne vous inquiétez pas, apprenties fées ! Bientôt, vous aussi vous aurez plein de camarades et vous découvrirez des formules magiques passionnantes !

Dès nos affaires rangées, mes amies et moi nous réunissons dans notre chambre. Layla est revenue d'Andros avec de terribles nouvelles : le sorcier Valtor a transformé toutes les sirènes en monstres à son service. Seuls les

parents de Layla résistent, enfermés dans leur palais...

Je n'hésite pas une seconde :

— Nous devons nous rendre sur Andros avant qu'il ne soit trop tard !

— Maintenant ? Le jour de la rentrée ? demande Stella.

— Bien sûr. Je ne permettrai pas que la planète de Layla subisse le même sort que celle où je suis née, Domino !

Layla lève vers nous des yeux pleins d'espoir.

— Tu peux compter sur nous, lui confirme Musa avec chaleur. Tu es notre amie et nous n'abandonnerons pas ton peuple.

Tecna fait la moue.

— Bien sûr... Sauf que les cours reprennent tout à l'heure. Mme Faragonda ne nous donnera jamais l'autorisation de nous absenter maintenant !

Stella hausse les épaules.

— Tecna, tu manques vraiment d'imagination....

Elle attrape son téléphone et met le haut-parleur pour que nous entendions la réponse.

— Allô ? dit-elle d'une voix enrouée. C'est bien l'infirmerie ?

Je suis Stella. Mes amies Bloom, Flora, Musa, Tecna, Layla et moi, nous ne nous sentons vraiment pas bien du tout. At… choum ! Nous ne pourrons pas aller en cours aujourd'hui…

— Le meilleur remède, c'est le repos, répond l'infirmière. Alors, mettez-vous toutes au lit, mesdemoiselles. Et je vais prévenir la directrice. Six malades d'un coup, c'est peut-être le début d'une épidémie !

Nous pouffons. Stella raccroche, triomphante.

— Voilà. Volez au secours d'Andros, et moi, je reste pour vous couvrir.

Je ne suis pas vraiment convaincue.

— Sur Terre, personne ne croirait à une excuse aussi classique, Stella. L'infirmière va sûrement vérifier que nous sommes malades…

Mais notre amie balaie les objections d'un geste plein d'assurance.

— Je vais me débrouiller. Les mini-fées m'aideront.

— Bon, dit Tecna. Alors, voici le moment de tester la nouvelle invention que Timmy m'a aidée à mettre au point…

Elle sort de ses affaires un petit objet qui ressemble à une soucoupe volante miniature.

— Cet appareil permet d'ouvrir des passages interdimensionnels entre les planètes de Magix. Grâce à lui, nous pourrons nous rendre en quelques secondes sur n'importe quelle planète…

Chapitre 2

Les sirènes ensorcelées

Tecna règle sa mini soucoupe volante magique. Un tunnel interdimensionnel s'ouvre devant nous. Nous volons à l'intérieur et atterrissons directement sur Andros, dans le palais royal.

Nous y sommes accueillies par

le roi et la reine, les parents de Layla. Celle-ci se précipite pour les embrasser :

— Mes amies les Winx sont venues vous aider !

Aussitôt, nous leur faisons notre plus belle révérence.

— C'est très courageux de votre part, nous dit le roi d'Andros, mais Valtor est un adversaire redoutable.

Le roi et la reine nous expliquent que tous les courtisans ont fui leur planète, qui ne ressemble plus du tout à ce qu'elle était autrefois. Mais eux refusent d'abandonner Andros.

Alors ils vivent retranchés derrière les remparts de leur forteresse.

— Nos planeurs-espions patrouillent nuit et jour au-dessus du portail interdimensionnel, dit le roi. C'est là que Valtor semble

se cacher. Malheureusement, ils ne sont pas capables de le capturer…

— Si vous allez dehors, surtout, soyez très prudentes, s'inquiète la reine.

Un peu plus tard, nous sortons du palais. Layla regarde avec tristesse les tours carrées que n'égaie plus aucune végétation. L'océan qui nous entoure est glauque, nauséabond, et parcouru de vagues gigantesques

qui détruisent tout sur leur passage.

— Autrefois, cet endroit était paradisiaque... murmure notre amie.

Je m'accroupis et observe l'eau.

— Il n'y a plus aucun poisson...

Il reste pourtant des êtres vivants à l'intérieur de l'océan, puisqu'une sirène nage non loin de nous. Mais elle a un visage monstrueux et un regard plein de méchanceté.

— Après s'être évadé d'Oméga, Valtor a métamorphosé toutes les sirènes d'Andros, nous rappelle Layla. Sur leur cou, elles portent un signe : un *V*, comme Valtor...

— Ce sorcier est peut-être très puissant, dit Tecna, mais, comme tout le monde, il a sûrement des points faibles. Il serait grand temps d'étudier ses pouvoirs.

— Facile à dire, s'exclame Musa. Comment veux-tu faire ?

— Eh bien... Commençons par briser le sort dont est victime cette sirène. Si nous y parvenons, nous saurons comment nous attaquer à l'armée de Valtor.

— Excellente idée !

— Magie des Winx !

Nous envolant au-dessus de la sirène, nous concentrons sur elle nos pouvoirs magiques. Elle se dresse pourtant hors de l'eau et nous menace avec son trident.

— N'aie pas peur ! lui crie Flora. Nous sommes tes amies !

— Nous voulons t'aider ! dis-je.

— Fais-nous confiance ! ajoute Musa.

Ensemble, nous lançons sur elle les formules de guérison les plus puissantes que nous connaissons. La sirène monstrueuse est secouée de violents tremblements… et redevient charmante, jeune et souriante, comme avant le sortilège de Valtor.

Layla pousse un cri de joie.

— Ça marche ! Vous avez vu ?

— Oui ! Nous l'avons libérée…

Hélas ! Notre triomphe est de courte durée. Une vague énorme submerge la pauvre sirène qui se transforme à nouveau en monstre.

... Et cette vague nous menace également !

Vite, nous nous enfuyons à tire-d'aile. Un peu plus loin, nous nous réfugions sur une île, essoufflées mais hors de danger. Du moins, pour l'instant…

Découragée, Layla prend sa tête entre ses mains.

— J'ai peur que le sortilège qui a transformé les sirènes ne soit irrémédiable…

— À Alféa, on nous apprend qu'à chaque maléfice, il existe un antidote, lui rappelle Musa.

— Et pour trouver l'antidote, il faut d'abord connaître le poison… précise Tecna. Nous n'avons pas le choix. Nous devons affronter Valtor en personne !

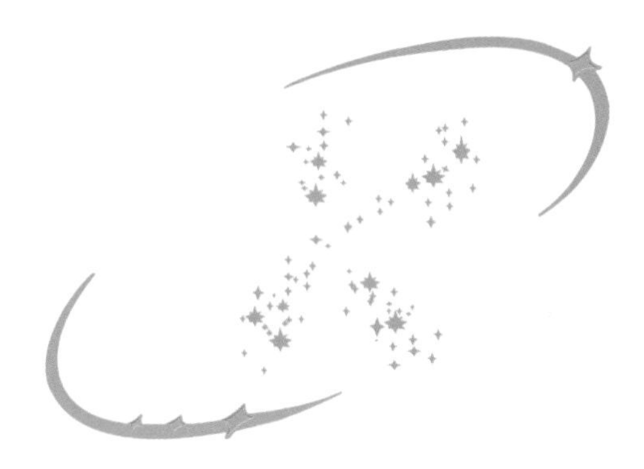

Chapitre 3

Ce que Bloom ne sait pas

À Alféa, dans la chambre des Winx, Stella et les mini-fées discutent avec animation de ce qui s'est produit sur Solaria, pendant le bal de princesse.

— La manière dont s'est conduit mon père était stupéfiante, fait remarquer la fée du soleil et de la lune. J'ai pourtant été transformée sous ses yeux ! Et, au lieu de me secourir, voilà qu'il me rejette et me chasse du palais…

— Cela ne lui ressemblait pas du tout, confirme la mini-fée Amore. Il a toujours été un père très aimant…

— Je ne serais pas étonnée qu'il ait été ensorcelé par Cassandra et Chiméra…

Soudain, on frappe à la porte.

— Je viens prendre des nouvelles des élèves clouées au lit, dit une voix pincée. Je leur

apporte une bonne tisane bien chaude.

Griselda ! Vite, Stella lance des sorts à travers la chambre.

Puis elle ouvre la porte.

— Bonjour, madame Griselda.

Celle-ci lui met dans les mains

un plateau avec des bols de tisane et quelques biscuits. Elle lance un regard soupçonneux autour d'elle. Ce qu'elle aperçoit ne peut que la rassurer : Bloom, Flora, Tecna, Musa et Layla sont assises au bord de leurs lits respectifs. Elles la saluent avec un petit signe de la main.

— Bonjour madame Griselda.

— Vous avez l'air en pleine forme, dit Griselda, méfiante.

— Ça va un peu mieux, merci, dit Bloom.

Flora est cependant un peu étrange. Au lieu de marcher avec sa grâce habituelle, elle sautille à

pieds joints jusqu'au bureau où Stella a posé le plateau. Là, elle se met à grignoter un biscuit avec les dents, tout en remuant le bout de son nez.

La surveillante la regarde de travers, puis soupire. Ces élèves ont sans doute de la fièvre, après tout…

— Bien, je vous laisse vous reposer, mesdemoiselles. Mais je veux vous revoir en classe dans deux jours au plus tard.

— Bien sûr, madame. D'ici là, nous serons sûrement guéries, assure Bloom.

Griselda sort enfin de la chambre. À peine la porte est-elle refermée derrière elle, que Stella lance de nouveaux sorts vers ses amies... qui reprennent leur véritable identité !

Amore, Lockette, Chatta et Tune avaient pris l'apparence de Bloom, Layla, Musa et Tecna. Quant à Flora, il s'agissait en fait du lapin de Bloom, Kiko. Voilà qui explique son curieux comportement !

— Bravo ! les félicite Stella. Vous avez été formidables et Griselda n'y a vu que du feu. Seul Kiko n'était pas vraiment au point...

Chapitre 4

Première rencontre avec Valtor

À la recherche de Valtor, nous survolons le portail interdimensionnel. La spirale de grosses pierres émerge de l'océan d'Andros comme une île très étrange. Des sirènes monstrueuses nagent tout autour. De temps en temps, une créature maléfique s'échappe de la spirale en ricanant ou en hurlant.

— Regardez ! s'exclame Layla. Les sirènes ensorcelées montent la garde autour du portail comme si elles étaient chargées de le maintenir ouvert.

— Ainsi, dis-je, les pires sorciers et malfaiteurs de Magix peuvent s'évader d'Oméga et se réfugier sur Andros... Valtor va sûrement les mettre à son service.

— Posons-nous sur le portail, suggère Musa. Valtor doit se trouver dans les parages. Nous devons absolument le rencontrer.

— Sauf qu'il ne vous a pas invitées, dit une voix que nous détestons toutes.

Préoccupées, nous n'avons pas vu approcher dans les airs nos plus vieilles ennemies : les Trix.

— Icy, Stormy et Darcy ! Que faites-vous là ? Vous avez été condamnées à la prison !

— À Oméga, en cette saison, on s'ennuie à mourir... ricane Icy.

D'un seul coup, elles passent à l'attaque : Icy lance des sorts glaçants, Darcy des ondes paralysantes et Stormy de puissants vents contraires.

Touchée par un sort de Darcy, Flora tombe comme une pierre. Je vole à son secours et Icy en profite pour m'atteindre dans le dos et geler mes ailes.

Heureusement, mon pouvoir de guérison sauve mes ailes, juste à temps pour que je me remette à voler ! Et pendant ce temps, Musa, Tecna et Layla ont réussi à rattraper Flora.

Puis nous ripostons, et c'est au

tour des Trix de céder du terrain.

Mais soudain, alors que nous pensons la victoire toute proche, je me sens emportée par une puissance supérieure à la mienne. Incapable de résister, je

tombe à l'intérieur de l'océan et je m'évanouis.

Lorsque j'ouvre les yeux, je suis allongée au milieu d'une sorte de temple en ruine, posé au milieu de l'océan. Au-dessus de moi, un très beau jeune homme, vêtu avec élégance, me regarde avec douceur.

Il me caresse la joue. Je sursaute et m'écarte.

— N'aie pas peur, Bloom… On se connaît. Nous nous sommes déjà croisés sur Solaria… Je suis Valtor.

Je saute sur mes pieds et

m'éloigne le plus loin possible de lui.

— Oh, ajoute-t-il d'un air nostalgique, tu as dû entendre d'horribles choses sur moi... Les gens ont toujours tendance à exagérer…

Je ne me laisse pas abuser par sa voix douce et ses paroles trompeuses.

— Valtor, tu t'es évadé d'Oméga, la prison des pires criminels de Magix. Et tu as transformé les pauvres sirènes d'Andros en monstres ! Pourquoi ? Que cherches-tu ?

Il me sourit, charmeur.

— Je pourrais te raconter mon histoire… mais ce serait trop long. Sache qu'autrefois, j'étais puissant et respecté… Après un

long exil, je suis de nouveau libre. Je compte bien en profiter pour devenir le gouverneur de la dimension magique.

Je le regarde droit dans les yeux.

— Jamais nous ne laisserons un criminel gouverner !

— Je récupèrerai pourtant le pouvoir, Bloom. Et ce n'est pas toi qui pourras m'en empêcher. Je ne souhaite pas particulièrement semer la terreur et le mal... Mais, pour atteindre mes objectifs, je n'hésiterai pas à les utiliser.

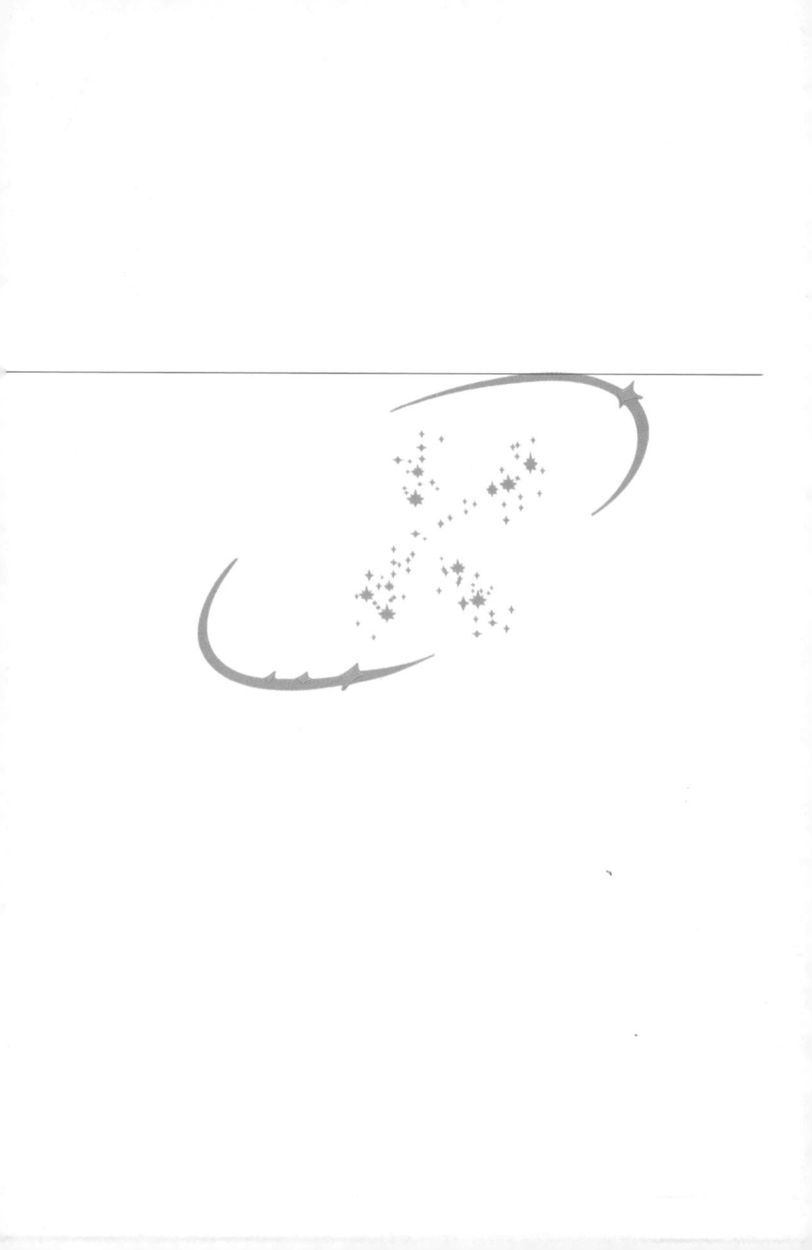

Chapitre 5

Un terrible sortilège

Pendant que je fais ainsi la connaissance de Valtor, mes amies ont réussi à se débarrasser des Trix. À toute vitesse, elles arrivent en volant au-dessus du temple en ruine.

Elles lancent leurs pouvoirs les

plus puissants sur le sorcier. Mais celui-ci reste imperturbable. Les sorts s'écartent de lui comme s'il était protégé par un bouclier invisible.

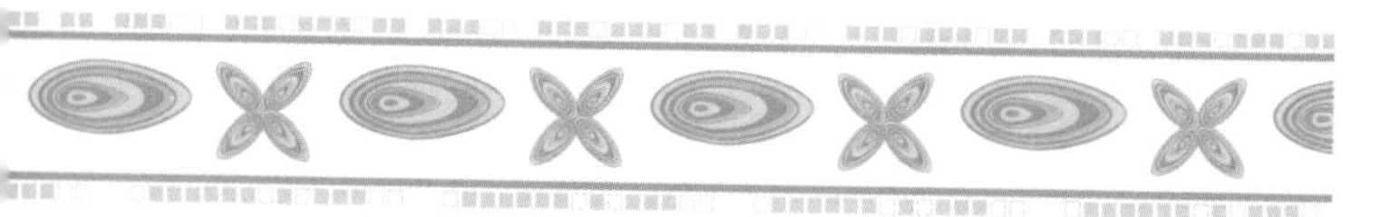

— Mesdemoiselles les Winx, dit-il en souriant, c'est un grand plaisir pour moi de vous rencontrer enfin. Les Trix m'ont tellement parlé de vous…

Sans nous laisser distraire, mes amies et moi rassemblons notre magie. Hélas, elle semble n'avoir aucun effet sur le sorcier.

Celui-ci continue de discuter aimablement, comme si nous étions en train de prendre le thé dans un salon, au lieu de nous battre au milieu d'un océan empoisonné !

Il se tourne vers moi.

— Je suis désolé, Bloom. Toi et moi, nous sommes faits pour être ennemis. Nous nous battrons le moment venu, quand tu seras moins fatiguée.

Quel toupet ! Faisant appel à toute ma puissance magique, je lance sur lui un nouveau sort. Mais il tend la main, attrape le sort en plein vol, et l'éteint sim-

plement en refermant ses doigts par-dessus.

J'en frissonne. Ce sorcier semble invulnérable ! Comment réussirons-nous à le battre ?

— J'ai horreur des victoires trop faciles, affirme-t-il d'un ton ironique.

Layla se pose devant lui sur le temple en ruine.

— Dans ce cas, Valtor, bats-toi en duel contre moi. Je suis Layla, princesse d'Andros, et je suis en pleine forme.

D'un seul coup, le sorcier se fâche.

— Très bien ! Tu vas subir le

même sort que ton royaume inutile ! Et chaque fois que tes amies te regarderont, elles se souviendront du prix à payer lorsqu'on défie le maître !

Il fait alors jaillir une lumière aveuglante et violente qui nous projette plusieurs centaines de mètres en arrière.

Le temps de revenir à tire-d'aile vers le temple, Valtor a disparu. Layla est seule, recroquevillée au milieu des ruines.

— Non, non… gémit-elle.

Nous l'aidons à se relever. Mais notre amie garde ses yeux fermés.

— Ne t'inquiète pas, Layla, dis-je doucement. Nous sommes là, près de toi.

Alors notre amie ouvre les yeux. Ils ont perdu leur couleur et semblent sans vie.

— Je ne vois rien, dit Layla d'une voix pleine d'effroi. Oh, Bloom ! Je suis aveugle !

Chapitre 6

Ce que Bloom ne sait pas

Le soir tombe sur Alféa. De nouveau, on frappe à la porte de la chambre des Winx.

— Qui est-ce ? demande Stella, inquiète.

— C'est moi, Nova…

Stella entrouvre la porte. Elle

connaît depuis peu cette nouvelle élève de l'université. Comme elle, Nova est originaire de Solaria. Son père est le grand chambellan du roi Radius, le père de Stella.

La jeune fée semble bouleversée.

— Ma mère vient de me téléphoner. Il s'est passé quelque chose de terrible dans le palais du roi Radius.

— Quoi donc ? Vite, raconte !

— Aujourd'hui, devant toute la cour, Chiméra a été nommée princesse héritière !

— Quoi ! Et ton père n'a rien dit ?

— Si, justement. Tu sais qu'il est l'un des plus proches conseillers du roi. Il a protesté en disant que cette nomination était complètement illégale, car

c'est toi, Stella, la seule et unique princesse héritière de Solaria.

— Et… comment a réagi mon père ?

— Il a juste murmuré, avec beaucoup de lassitude : « Chiméra, princesse héritière, oui, pourquoi pas ? » Il semblait complètement envoûté.

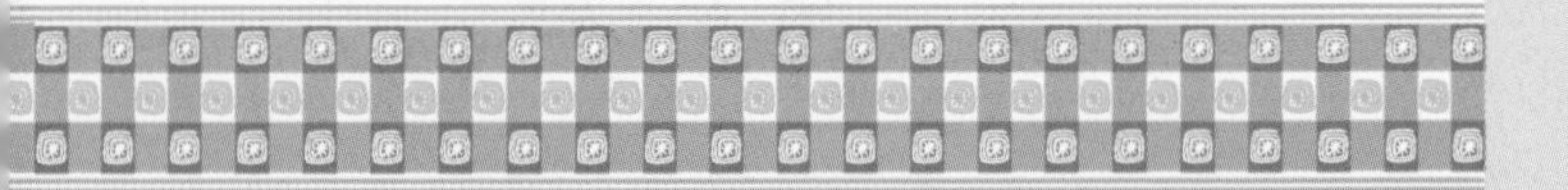

Ensuite, la reine Cassandra a demandé à mon père de sortir, sinon elle le faisait jeter en prison !

Révoltée par ces terribles nouvelles, Stella remercie Nova de l'avoir tenue au courant. Une fois seule, elle s'adresse aux mini-fées :

— Je dois retourner à Solaria le plus vite possible !

— Impossible ! proteste Lockette. Sans toi, Griselda se rendra compte de l'absence des Winx.

— Vous, les mini-fées, vous êtes tout à fait capables de nous couvrir toutes, dit Stella.

— Avec Kiko ? dit Amore, dubitative. Il ne faisait pas une Flora très crédible.

— Nous nous passerons de lui.

C'est Digit qui prendra l'apparence de Flora.

— Dans ce cas, qui jouera ton rôle ?

— Eh bien, nous demanderons à Piff. Je suis sûre qu'elle fera une Stella très mignonne.

Stella désigne la mini-fée qui suce son pouce, endormie sur son gros oreiller rose.

— Tu ne peux pas faire ça, proteste Tune. Piff est bien trop petite. Elle ne saura pas jouer la comédie.

— Au contraire, elle sera parfaite. Tout ce qu'on lui

demande, c’est de continuer à dormir.

Quelques formules magiques plus tard, la vraie Stella s’échappe discrètement d’Alféa. Les fausses Flora, Bloom, Tecna, Musa et Layla, sont chacune à

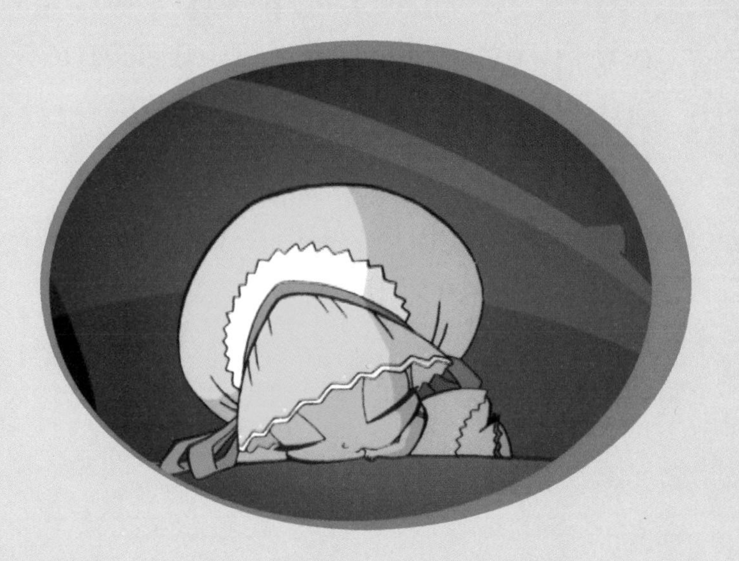

leur place, dans leur lit. Dans le sien, la fausse Stella dort à poings fermés, roulée en boule.

Le lendemain matin, alors que les mini-fées transformées sont encore endormies, la fausse Stella descend de son lit à quatre pattes. Toujours à quatre pattes, elle pousse la porte qui donne sur le couloir et s'avance en babillant…

… jusqu'aux pieds de Griselda, la surveillante !

Chapitre 7

La reine des sirènes

Guidant Layla, nous avons trouvé refuge sur une île que l'océan n'a pas encore totalement submergée. Une sirène sort de l'eau et se dirige vers nous. Elle n'a rien de monstrueux et ne porte pas le signe de Valtor.

— N'ayez crainte, fées d'Alféa. Je ne suis pas une ennemie, dit-elle.

— Cette voix... murmure Layla. Est-ce toi, Tressa ?

Notre amie pose ses mains sur le visage de la sirène.

— C'est bien toi.

— Princesse, s'écrie la sirène. Qu'est-il arrivé à tes yeux ?

— Valtor m'a rendue aveugle. Mais je vais continuer à me battre.

Tressa se met à pleurer.

— Ce monstre a métamorphosé presque toutes les sirènes. Seule ma mère, la reine Ligéa, a

résisté à ses sortilèges. Mais elle est sa prisonnière. Quant à moi, si j'ai pu échapper à Valtor, c'est uniquement parce que je me suis enfuie. Je n'ai pas eu le courage de l'affronter. Je suis lâche !

La pauvre Tressa a tellement

honte d'elle-même qu'elle cache son visage dans ses mains.

— Sans la peur, dit doucement Layla, le courage n'existerait pas. Je suis sûre que le moment venu, toi aussi tu sauras faire preuve de courage.

Tressa relève la tête, un peu soulagée. Flora lui sourit.

— Nous allons vous aider, ta mère et toi. Sais-tu où elle est retenue prisonnière ?

— Oui. Au fond de son palais, dans les profondeurs de l'océan.

— Parfait. Tu vas nous y conduire.

— Il y a pourtant un petit problème, fait remarquer Musa. Nous ne sommes pas des sirènes, nous. Nous ne savons pas respirer sous l'eau !

— Je connais la formule qu'il faut, dit aussitôt Layla en lançant un sort. Cette enveloppe d'air invisible transformera l'eau en oxygène. Elle nous protègera du froid et de l'eau empoisonnée.

Une fois chacune à l'intérieur de son enveloppe, nous plongeons dans l'océan. Nous parvenons en vue du palais des

sirènes, un très joli bâtiment, tout en hauteur, construit au milieu des coraux. Il semble désert.

— Valtor a confié la garde de ma mère au Kraken, le monstre marin, explique Tressa.

Inutile de lui demander à quoi ressemble le Kraken... Face à nous, surgit une gigantesque pieuvre. Chaque fois que nous réussissons à couper l'un de ses énormes bras, celui-ci repousse aussitôt !

Pourtant, grâce à Tressa qui l'attire au fond d'un cul-de-sac,

nous finissons par vaincre la pieuvre.

— Bravo, Tressa ! lui dis-je. Tu as fait preuve d'un grand courage en défiant ce monstre !

Nous atteignons enfin la cellule où se trouve la reine Ligéa.

Celle-ci accueille sa fille avec un immense soulagement. Puis elle se tourne vers Layla.

— Que vous est-il arrivé, ma douce princesse ?

Tressa lui raconte notre terrible confrontation avec Valtor et comment Layla est devenue aveugle.

Sans hésiter, la reine met son sceptre dans la main de Layla.

— Ses perles de corail ont un pouvoir de guérison très puissant, à condition de l'utiliser face aux derniers rayons du soleil couchant. Dépêchons-nous de sortir de l'eau, car le crépuscule est proche.

Entourant Layla, nous nageons le plus vite possible vers la surface. Soudain, alors que nous arrivons à proximité d'une île, Ligéa reçoit un coup de tentacule très violent qui lui fait perdre connaissance. Le Kraken est revenu !

Heureusement, il ne peut vivre hors de l'eau. Nous hissons la reine inconsciente sur la terre ferme. Derrière nous, le soleil se couche sur l'océan.

Tressa tend le sceptre à Layla.

— Mets-le face à tes yeux ! Vite, le soleil est sur le point de disparaître !

Mais notre amie secoue doucement la tête.

— Je ne pense pas que le sceptre soit assez puissant pour deux guérisons. Il est plus important de sauver ta mère, Tressa.

Stupéfaite, la jeune sirène comprend qu'elle n'a pas le temps d'hésiter. Aidée par Layla, elle place le sceptre devant sa mère, dont le visage est illuminé par le dernier rayon du soleil couchant.

Aussitôt, la reine ouvre les yeux et se redresse.

— Oh, mille mercis, princesse Layla ! s'exclame Tressa, folle de joie.

Mais bien sûr, Layla est restée aveugle. Nous les Winx, sommes

très touchées et admiratives de son sacrifice.

Soudain, un tourbillon de lumière environne notre amie. Dans son dos, apparaissent de nouvelles ailes, aussi belles que des vitraux. Elle est somptueusement coiffée et porte un diadème magnifique.

— Les pouvoirs sacrés de l'Enchantix ! murmure Flora. Mme Faragonda nous en avait parlé... Pour une fée, c'est le signe des pouvoirs les plus extraordinaires...

— Oui, mais... bafouille Layla. Je suis toujours aveugle...

Chapitre 8

La poussière de fée

Nous ne pouvons manquer les cours plus longtemps. Après avoir mis à l'abri Tressa et Ligéa auprès du roi et de la reine d'Andros, nous utilisons le tunnel interdimensionnel déclenché par Tecna.

Dans la cour de l'université, Layla fait sensation en Enchantix. Mais cela ne suffit pas à attendrir Griselda. Elle s'approche de nous, le regard plus sévère que jamais.

— Mesdemoiselles, vous avez été absentes deux jours sans aucune justification ! Vous êtes convoquées immédiatement dans le bureau de la directrice !

— Pas maintenant, s'il vous plaît, Griselda. Layla a besoin de notre aide.

— Je ne veux pas le savoir !

Penaudes, nous la suivons en tenant la main de Layla.

À peine sommes-nous dans le bureau de la directrice, où se trouvent déjà les mini-fées, qu'on frappe à la porte.

— Entre, Stella, dit Mme Faragonda. Toutes tes amies sont là. Vous allez assister à un grand moment de magie.

De quoi veut-elle parler ? Nous échangeons des regards surpris. Mais la plus étonnée reste Stella, qui contemple Layla bouche bée :

— Qu'est-ce qui t'est arrivé ?

— Ton amie a vécu une chose terrible, puis une autre tout à fait merveilleuse... explique Mme Faragonda. Elle a été la victime d'un maléfice qui l'a privée de la vue...

Stella pousse un cri d'horreur.

— ... mais en se sacrifiant pour la reine des sirènes, elle a atteint la forme féerique suprême. Désormais, Layla est une Enchantix.

Mme Faragonda se tourne maintenant vers Layla.

— Les maléfices de Valtor sont puissants, mais aujourd'hui, tu as assez de force pour les briser. Tu possèdes le pouvoir de la poussière de fée... C'est une énergie magique qui emplit tes nouvelles ailes. Secoue-les et concentre-toi. Tu pourras la sentir...

Nous voyons notre amie se

concentrer. Lumineuse et légère, la poussière de fée l'enveloppe peu à peu.

Et soudain, elle papillonne des yeux...

— Je vois ! Je ne suis plus aveugle !

Elle saute de joie. Nous courons vers elle et la serrons dans nos bras.

— Quel bonheur, Layla ! Quel bonheur !

— La poussière de fée est un remède efficace contre tous les mauvais sorts, nous explique Mme Faragonda. Elle fait partie de tes nouveaux pouvoirs d'Enchantix, Layla.

Nous félicitons notre amie. Une voix pincée nous interrompt, celle de Griselda.

— Désolée de gâcher ce grand moment d'émotion… mais nous avons une petite question de discipline à régler. Non seulement vous avez quitté l'université sans permission, mesdemoiselles, mais, en plus, vous vous êtes moquées de moi à l'aide des mini-fées.

Oh zut ! Je lance un regard vers Mme Faragonda. Va-t-elle intervenir en notre faveur ? Non, il semble qu'elle soit d'accord avec la surveillante générale.

— Vous êtes privées de sortie, tant que vous n'aurez pas rangé tous les livres de la bibliothèque, poursuit Griselda. Bien entendu, il ne vous est pas permis d'utiliser la magie.

Tête basse, nous sortons dans le couloir. Musa se tourne vers Stella et murmure avec ironie :

— Bien joué !

La fée du soleil et de la lune pousse un soupir.

— Cette fois-ci, la chance n'était pas de mon côté...

Bon, cette punition n'a rien de dramatique. L'essentiel est que Layla ait retrouvé la vue. Et que nous puissions bientôt repartir combattre Valtor. Il nous faut

absolument délivrer Andros et Solaria, et protéger Magix de ce sorcier si charmeur…

FIN

Quel nouveau plan maléfique
les Winx devront-elles déjouer ?
Pour le savoir,
regarde vite la page suivante !

Bloom et ses amies sont prêtes pour de nouvelles aventures !

Winx Club 20

L'arbre enchanté

Au cours d'une terrible bataille contre Valtor, Mme Faragonda a été transformée en chêne. Sur la planète de Flora, les Winx partent à la recherche d'un arbre très rare, le saule noir, dont les larmes pourraient sauver la directrice.

Les as-tu tous lus ?

Retrouve toutes les histoires de tes fées préférées dans les livres précédents…

Saison 1

1. Les pouvoirs de Bloom

2. Bienvenue à Magix

3. L'université des fées

4. La voix de la nature

5. La Tour Nuage

6. Le Rallye de la Rose

Saison 2

7. Les mini-fées

8. Le mariage de Brandon

9. L'étrange Avalon

10. À la poursuite du Codex

11. Sur la planète du prince Sky

12. Que la fête continue !

13. Alliance impossible

14. Le village des mini-fées

15. Le pouvoir du Charmix

16. Le royaume de Darkar

Saison 3

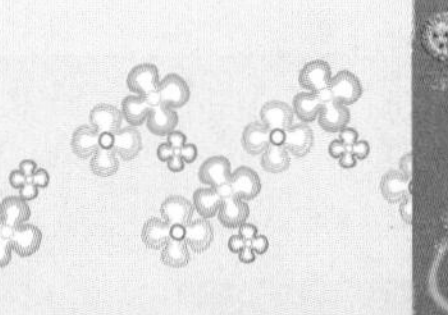

17. La marque de Valtor

18. Le Miroir de Vérité

Table

« Pour l'éditeur, le principe est d'utiliser des papiers composés de fibres naturelles, renouvelables, recyclables et fabriquées à partir de bois issus de forêts qui adoptent un système d'aménagement durable. En outre, l'éditeur attend de ses fournisseurs de papier qu'ils s'inscrivent dans une démarche de certification environnementale reconnue. »

Composition **Nord Compo** – Villeneuve d'Ascq

Imprimé en France par Qualibris (JL)
Dépôt légal : octobre 2007
20.20.1485.0/01 – ISBN 978-2-01-201485-5
Loi n°49-956 du 16 juillet 1949
sur les publications destinées à la jeunesse